GW01086539

# Che cosa cucinare?

Scritto e illustrato da John Light

Traduzione di Luciana Dagrada

**Pubblicato da Child's Play (International) Ltd**

**Swindon**        **Bologna**        **New York**

© M.Twinn 1989    ISBN 0-85953-601-7    Printed in Singapore
Ristampa 1990

La nonna è veramente una buona cuoca. Per il suo compleanno ha preparato salsicce, gelatina di frutta e focaccine al cioccolato.

Anche la mamma è brava ai fornelli,
ma lascia sempre un mucchio di piatti sporchi per papà.

A volte la mamma non sta bene e deve stare a letto.

Quando succede, tocca al babbo occuparsi della cucina...

... e stiamo tutti male.

Così Marco e Ruggero decisero
di imparare a far bene da mangiare...

... come zio Riccardo. Deve essere bravo
perchè vive da solo con il gatto...

... che è molto difficile da accontentare.

Ruggero sogna torte di mele.

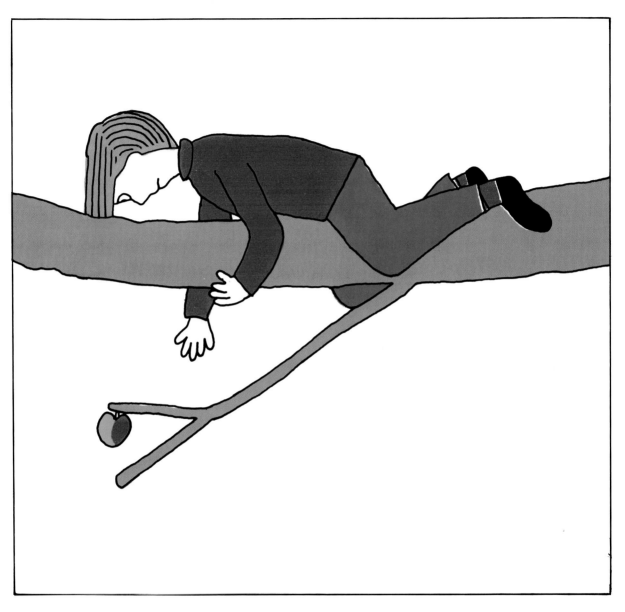

La parte più difficile per fare una torta di mele
è quella di prendere le mele...

... specialmente per chi sta sotto!

Marco rise talmente tanto che cadde dall'albero.

«Forse le banane sono più sicure», dice Ruggero.

La mamma ha voluto mostrarci come si fanno le meringhe. «Per prima cosa bisogna mettere un bel grembiulone», ci ha spiegato.

«È difficile separare il rosso dal bianco dell'uovo», ha proseguito.

«Ma ciò che importa è che ne rimanga a sufficienza nella ciotola per potercelo mangiare!» ha continuato Marco.

Marco mise un dolce nel forno
e poi stette in ascolto per vedere se si cuoceva.

Fu Marco a decorare il dolce.

Ruggero mise la glassa su alcuni dolcetti,
ma con troppo colorante.

«Credo che la mia pancia abbia mal di testa!» gemette Ruggero.

Quando la mamma è stanca Caterina deve fare da mangiare.

«Prendi un po' di gelatina», disse versandola nel piatto di Marco.

«Ma a me non piace la crema!» sospirò Ruggero.
Caterina non ci fece caso.